O Flautista de Hamelin

Há muito tempo, havia uma cidade próspera e feliz chamada Hamelin. Tudo era muito limpo e organizado, e a terra daquele lugar era fértil. A colheita era tão abundante que vendiam o que sobrava para as cidades vizinhas. E a população prosperava e as crianças brincavam e corriam livremente pelas ruas.

Mas, um dia, a cidade foi invadida por milhares de ratos. As pessoas ficaram desesperadas e não conseguiam combater a praga.

Os roedores destruíam a plantação, invadiam as casas, roíam móveis e objetos.

Os habitantes inventaram muitas maneiras diferentes de sumir com os bichos: ratoeiras, armadilhas e até trazer gatos das cidades vizinhas. Parecia que, quanto mais tentavam fazê-los desaparecer, mais ratos apareciam.

A POPULAÇÃO FEZ UMA REUNIÃO DE EMERGÊNCIA PARA DECIDIR O QUE FAZER. CONCLUÍRAM QUE FICARIAM POBRES E DOENTES SE OS RATOS CONTINUASSEM A SE MULTIPLICAR. DIANTE DA GRAVIDADE DA SITUAÇÃO, DECIDIRAM OFERECER CEM MOEDAS DE OURO PARA QUEM EXTERMINASSE OS RATOS.

Muitos se candidataram para resolver o problema, mas ninguém conseguiu, até que um dia surgiu na cidade um flautista que dizia saber como se livrar dos ratos:

— A recompensa será minha porque hoje livrarei Hamelin dessas criaturas!

Os moradores duvidaram que um rapaz tão franzino conseguisse se livrar de milhares de ratos, mas o deixaram tentar.

— Pois bem, garoto, faça esses ratos sumirem e a recompensa será sua! Mas, diga, você vai matá-los com sua flauta? — caçoou um dos homens mais importantes da cidade, e todos riram.

O FLAUTISTA COMEÇOU A TOCAR UMA MELODIA MUITO SUAVE QUE ENCANTOU OS RATOS. AO PASSAR PELAS RUAS, OS BICHOS SAÍAM HIPNOTIZADOS DE SEUS ESCONDERIJOS ATRÁS DELE. O RAPAZ TOCOU A MÚSICA ATÉ SAIR DA CIDADE E ENTRAR NUM BOSQUE CORTADO POR UM RIO. O FLAUTISTA ATRAVESSOU O RIO, OS RATOS SEGUIRAM O RAPAZ E SE AFOGARAM.

Feliz por completar a missão, o jovem voltou para Hamelin para receber sua recompensa.

Todos da cidade ficaram aliviados por estarem livres dos ratos, pois tudo voltaria ao normal: as plantações, as casas... As crianças poderiam brincar livremente. E a cidade continuaria prosperando.

Quando o flautista retornou à cidade, os mais poderosos e avarentos estavam arrependidos de terem oferecido a recompensa e, já que estavam livres do problema, disseram:

— Não vamos pagar! Afinal, que trabalho você teve? Tocar uma flautinha não vale cem moedas de ouro!

— MAS LIVRAR UMA CIDADE INTEIRA DE UMA PRAGA VALE MUITO MAIS! — RESPONDEU O FLAUTISTA.
UMA VELHA MORADORA, MUITO SÁBIA, OUVIU TODA A CONVERSA E INTERVIU:

— Isso não é justo. Se foi prometida uma recompensa, tem de cumprir! O flautista fez o prometido, portanto, deve receber o dinheiro.

Mas os homens não mudaram de ideia e expulsaram o rapaz aos gritos:

— Fora daqui! Nunca mais apareça nesta cidade!

O RAPAZ PEGOU SUA FLAUTA E TOCOU UMA NOVA MELODIA. SÓ QUE, DESTA VEZ, A MÚSICA NÃO HIPNOTIZAVA RATOS, MAS ATRAÍA E ENCANTAVA AS CRIANÇAS DE HAMELIN.

O FLAUTISTA ANDAVA E A CRIANÇADA FAZIA FILA ATRÁS DELE. OS PAIS TENTAVAM IMPEDIR, MAS ELAS SEGUIAM O RAPAZ, HIPNOTIZADAS.

Os habitantes ficaram desesperados com a possibilidade de o flautista sumir com seus filhos, assim como tinha feito com os ratos.

Quando ele saiu da cidade e estava perto do rio, os homens avarentos entregaram ao jovem as cem moedas de ouro.

O MÚSICO PAROU DE TOCAR E AS CRIANÇAS VOLTARAM AO NORMAL. OS HOMENS AVARENTOS APRENDERAM A VALORIZAR OUTROS TESOUROS, POIS DESCOBRIRAM QUE A PAZ, A SAÚDE E A FAMÍLIA VALEM MUITO MAIS DO QUE OURO.